Épidémie au royaume

Du même auteur chez Québec Amérique

Jeunesse

SÉRIE MATHIEU

L'Ogre du gouffre, coll. Mini-Bilbo, 2008.

Complot à l'atelier, coll. Mini-Bilbo, 2007.

La Colère du roi, coll. Mini-Bilbo, 2006.

Enquête au château, coll. Mini-Bilbo, 2005.

L'Ingénieuse Clothilde, coll. Mini-Bilbo, 2004.

La Vengeance du seigneur Gaspard, coll. Mini-Bilbo, 2003.

Mathieu le héros, coll. Mini-Bilbo, 2002.

Le Secret de Mathieu, coll. Mini-Bilbo, 2000.

Épidémie au royaume

TEXTE ET ILLUSTRATIONS :
JEAN BERNÈCHE

QUÉBEC AMÉRIQUE jeunesse

Catalogage avant publication de Bibliothèque et Archives nationales du Québec et Bibliothèque et Archives Canada

Bernèche, Jean
Épidémie au royaume
(Mini-bilbo ; 39)
(Mathieu ; 9)
Pour enfants de 6 ans et plus.
ISBN 978-2-7644-0707-3
I. Titre. II. Collection: Bernèche, Jean. Mathieu ; 9. III. Collection: Mini-bilbo ; 39.
PS8553.E742E65 2009 jC843'.6 C2009-941132-6
PS9553.E742E65 2009

Nous reconnaissons l'aide financière du gouvernement du Canada par l'entremise du Programme d'aide au développement de l'industrie de l'édition (PADIÉ) pour nos activités d'édition.

Gouvernement du Québec – Programme de crédit d'impôt pour l'édition de livres – Gestion SODEC.

Les Éditions Québec Amérique bénéficient du programme de subvention globale du Conseil des Arts du Canada. Elles tiennent également à remercier la SODEC pour son appui financier.
Québec Amérique
329, rue de la Commune Ouest, 3e étage
Montréal (Québec) H2Y 2E1
Téléphone: 514 499-3000, télécopieur: 514 499-3010

Dépôt légal: 4e trimestre 2009
Bibliothèque nationale du Québec
Bibliothèque nationale du Canada

Prémaquette: Jean Bernèche
Révision linguistique: Stéphane Batigne et Alexie Morin
Mise en pages: Célia Provencher-Galarneau
Conception graphique: Nathalie Caron
Projet dirigé par Marie-Josée Lacharité

Imprimé au Canada

À Yady.
Bienvenue dans
notre famille.

1

Le nouveau médecin

Un jour, un homme vêtu d'une cape noire et conduisant un fourgon se présente aux portes du village. Il s'appelle Ivar et demande à parler au docteur de la commune.

—Cyprien a reçu une lettre l'implorant d'aller soigner sa vieille tante dans les hautes montagnes. Il sera de retour dans dix jours si tout va bien, révèle un garde.

— Je suis moi-même médecin, reprend l'inconnu. Je parcours le royaume pour avertir tout le monde : il semble qu'une grave épidémie nous menace. Y a-t-il des gens malades dans ce patelin ?

On l'informe que le fils du forgeron fait beaucoup de fièvre. L'étranger insiste pour voir l'enfant. On le conduit immédiatement à son chevet. Après avoir examiné le patient, Ivar constate :

—Madame, votre fils souffre d'une maladie incurable.

—Mais je n'y comprends rien ! rétorque la mère. Cyprien m'a pourtant dit qu'il s'agissait d'une simple grippe.

—Une simple grippe ! Malheureusement, j'ai devant moi un mourant. Je dois voir le roi ! Si on ne fait rien, c'est tout le royaume qui est en danger.

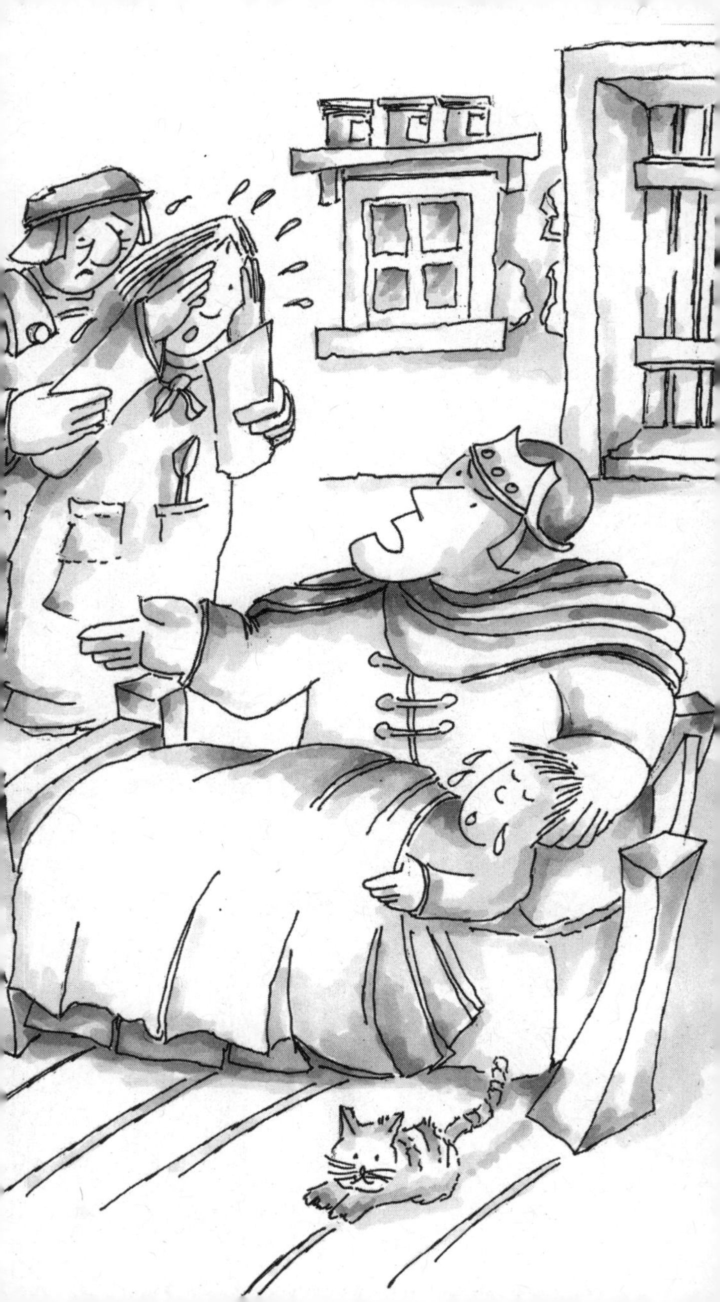

2

Chez le roi

Sans tarder, on mène Ivar chez le roi.

—Sire Alexandre, dit le médecin, un enfant du village s'est fait mordre par une araignée.

—Impossible ! s'écrie le souverain. Je les connais bien, elles sont inoffensives.

—Tout peut arriver, vous savez ! J'ai appris que des milliers

d'arachnides logent au château et qu'elles brodent pour votre tailleur Mathieu. Ces horribles bestioles sont porteuses d'une grave maladie : la peste !

— La peste ! La peste ! répète le monarque, visiblement ébranlé. Il est vrai que depuis quelques jours, mon tisserand a un comportement étrange... songe le roi. Peut-être que Mathieu est au courant de quelque chose et qu'il préfère protéger ses amies plutôt que le

royaume… Mais que faire ? reprend Sa Majesté en s'effondrant sur son trône.

Adoptant une mine désolée, Ivar en rajoute :

—Souvenez-vous de ce qui est arrivé au roi Samari. Son royaume a été totalement anéanti par la contamination. Vous n'avez pas le choix : il faut vous débarrasser de ces indésirables.

Le souverain ne tient plus en place. Il se lève, se rassoit, gesticule. Il arrive à peine à parler.

Puis, reprenant son souffle, il finit par dire :

— Ces araignées sont mes amies. Je ne peux pas faire ce que vous me demandez.

— Vos concitoyens sont aussi vos amis. Ne rien faire serait un désastre pour eux. Mais de grâce, ne paniquons pas. J'ai peut-être une autre solution à vous proposer…

3
La solution

Dans la salle d'audience, le roi Alexandre prend de grandes respirations. Il tente de se calmer tandis qu'Ivar lui expose son idée :

—Il faut réunir toutes les araignées à leur insu et les éloigner d'ici le plus tôt possible.

—Pourquoi à leur insu ? demande le monarque.

—Si on leur dit que nous voulons les chasser du château, les araignées vont se cacher. Et puis, comme Mathieu et sa femme sont quotidiennement en contact avec elles, nous devons aussi les capturer. Réfléchissons, il y a sûrement un moyen de les rassembler tous...

Le roi reste muet pendant un long moment. Puis, les yeux pleins d'eau, la voix tremblotante, il ajoute :

—Demain soir, on fête l'anniversaire de la

Veuve Blanche, la doyenne des araignées. La reine et moi devons nous présenter à l'atelier à la dernière minute pour lui faire une surprise. Les arachnides viendront de partout et ce sera le moment idéal pour…

Le monarque se tait aussitôt et porte un mouchoir à son visage pour essuyer une larme.

— …pour les piéger, précise l'étranger. Il n'y a pas de honte à vouloir sauver votre royaume, sire.

4

La fête surprise

Le lendemain soir, le couple royal se présente à l'atelier de Mathieu en compagnie d'Ivar. Le tailleur et sa femme Marie viennent les accueillir à bras ouverts. Aussitôt, sur l'ordre du roi, deux gardes repoussent les hôtes à l'intérieur de la boutique. En vitesse, ils referment les portes et les bloquent avec d'énormes planches. À l'extérieur, une trentaine de valets s'affairent, juchés sur de longues échelles. Ils bouchent les fenêtres, les cheminées, les moindres petits trous pour empêcher que les araignées s'évadent.

À travers les barricades, le tailleur abasourdi s'écrie :

— Que se passe-t-il, sire ?

— J'ai une bien mauvaise nouvelle à vous apprendre, mon cher Mathieu. Nous devons tous vous évacuer et vous mettre

en quarantaine, loin d'ici.

Ivar leur explique ensuite la situation et termine en disant :

—Nous sommes désolés de troubler ainsi l'anniversaire de la Veuve Blanche.

Le tisserand croit encore que cette situation peut tourner en leur faveur et tente de convaincre le monarque :

—Sire, je vous jure que les araignées sont en excellente santé !

Mais le roi reste inébranlable :

—Même en parfaite forme, elles sont porteuses de la peste. Je ne peux pas courir ce risque.

Par désespoir, le tailleur avoue :

—Cette soirée surprise était pour vous, Majesté ! Nous la préparions en secret depuis longtemps. Nous voulions souligner la date de notre arrivée au château et vous remercier pour votre grande générosité à notre égard.

À ces mots, le roi rougit de honte. Comme si ça ne suffisait pas, Marie ajoute :

— Les brodeuses ont travaillé jour et nuit pour vous confectionner un cadeau pour cette occasion.

Désemparé, le roi Alexandre se laisse tomber sur le sol. Comment a-t-il pu user d'une telle supercherie pour traquer ainsi ses amis ?

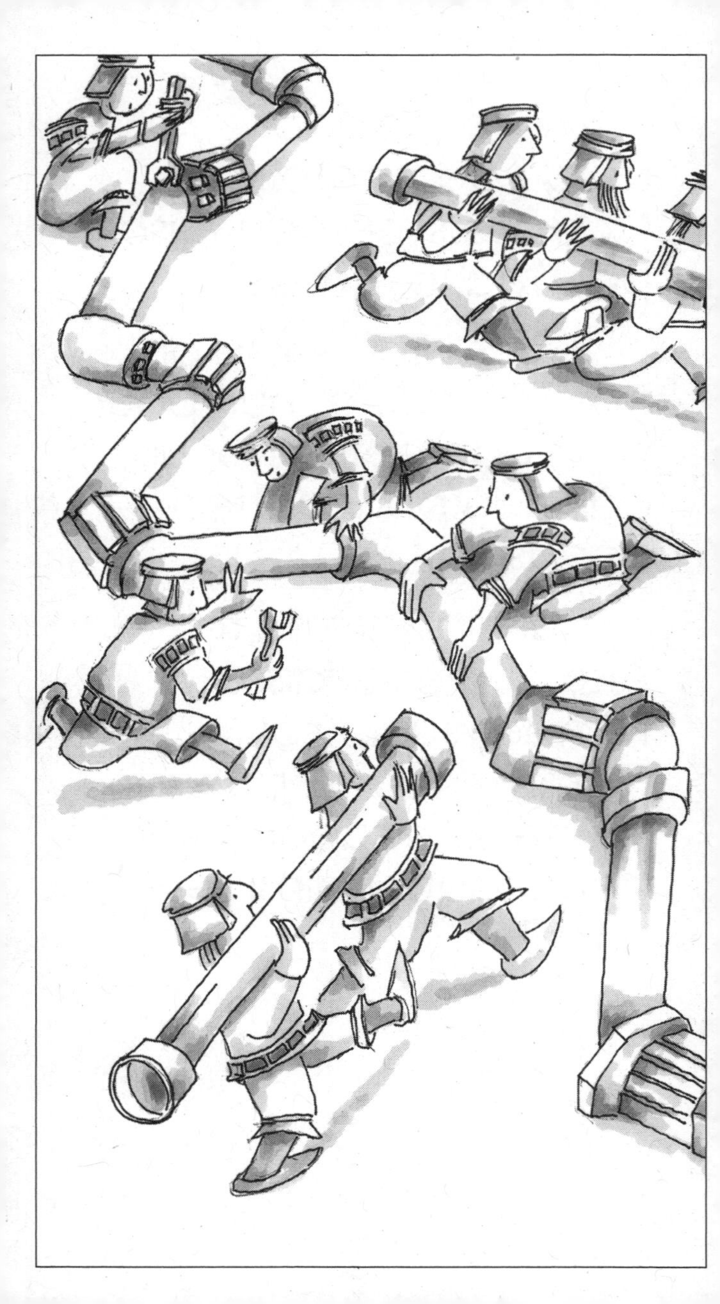

5

L'évacuation

Sur les conseils d'Ivar, on fait installer un tuyau qui va de l'atelier jusqu'au fourgon du médecin. Il est si long qu'il traverse tout le village !

— Voilà qui est bien, jubile l'étranger. Avec cette installation, les araignées n'entreront

en contact avec rien ni personne.

Puis, à travers la porte de l'atelier, il fait ses dernières recommandations au tailleur :

— Demain matin, au lever du jour, toutes les arachnides emprunteront ce conduit. Ensuite, nous ouvrirons les portes de l'atelier pour que Marie et vous puissiez sortir. Ne touchez à personne, surtout ! Dès votre

départ, des gardes répandront un produit très dangereux à base d'herbe de Lucifer. Malheur aux araignées qui resteront !

À l'aube, un épais brouillard envahit le château. Avec cette

pénombre, on arrive à peine à voir à cinq pas devant soi. Au signal donné, les arachnides s'engagent à la file indienne dans le long tuyau. Clothilde ferme la marche derrière ses amies.

— Vous pouvez ouvrir maintenant ! lance le tailleur. Les araignées sont parties.

On lève alors les barricades. En vitesse, des gardes entrent et répandent le produit désinfectant dans la boutique. Lentement, Marie et Mathieu

quittent l'atelier. La tête basse, les traits du visage tirés par les pleurs, ils déambulent en silence dans les rues du village. On entend l'écho de leurs pas sur la chaussée mouillée.

Non loin des lieux, la reine et le roi assistent

à l’embarquement, inconsolables. Aux fenêtres, des chandelles s’allument. Des enfants, des mères, des pères saluent de la main

l'artisan et sa femme. Comment peut-on traiter ainsi le héros de la tour du non-retour, celui qui a vaincu le vilain roi Gaspard et fait la renommée du royaume à travers le monde ?

6

Le départ

Les portes du fourgon se referment dans un grand fracas derrière le tailleur et sa femme. Le grincement du métal rouillé retentit sur la place du marché. Soudain, une voix se fait entendre au loin :

— Je dois parler à Ivar immédiatement !

— Que puis-je faire pour vous ? rétorque le médecin étranger, d'un air agacé.

La brume se disperse autour du personnage.

—Cyprien ! s'écrie le roi Alexandre. Vous n'êtes pas au chevet de votre tante malade ?

—Ma tante est en excellente santé. La lettre que j'ai reçue était fausse ! Les villageois m'ont tout raconté dès mon arrivée. Sire, je vous en prie, libérez ces araignées. Il n'y a aucune épidémie de peste ici !

—Ne jouez pas avec la vie de vos sujets, tonne Ivar. Cette

maladie menace de les éliminer tous.

—Comme le fils du forgeron, que vous condamniez à la mort il y a quelques jours ?

Tirant la main d'un enfant caché derrière son dos, le vieux médecin rugit :

—Eh bien, voici ce mourant ! N'a-t-il pas bonne mine ? Il est guéri de la grippe et non de la peste comme vous le prétendiez.

Ivar rétorque aussitôt :

—C'est parce que mon médicament l'a

sauvé de cette morsure d'arachnide !

— Je n'ai jamais été mordu par une araignée, lance le fils du forgeron. Et je n'ai reçu aucun médicament.

L'étranger fait la sourde oreille et se tourne vers le roi Alexandre :

— Sire, je suis diplômé de la plus grande université au monde. Il est normal que votre vieux docteur ne soit pas informé des plus récents fléaux qui menacent nos

populations. Qui
choisirez-vous de croire ?

7

Sur la place du marché

Attirés par les cris, les habitants s'attroupent lentement autour de la place du marché. Soudain, le vent se lève et fait virevolter les premières feuilles d'automne. À travers le grillage du fourgon, une autre voix s'ajoute à la confusion :

— Sire, sire ! crie Mathieu. Mes amies ont une dernière chose à vous demander. Vous ne refuserez pas cela à des déportées ?

— De quoi s'agit-t-il ? questionne le monarque, désemparé.

— Demandez à Ivar de relever ses manches.

— Voilà une drôle de facon de traiter les

étrangers, s'insulte Ivar. C'est ainsi que vous me remerciez d'avoir sauvé votre royaume ?

Une rafale se lève à nouveau. Les branches des arbres plient. Les paniers de fruits et de légumes se renversent sur la chaussée. Les volets, les portes

claquent dans un bruit assourdissant. Le tailleur hurle et hurle, mais on ne l'entend plus.

—Vous avez raison, tranche finalement le roi. Nous vous devons beaucoup, Ivar.

Puis, s'adressant à la foule, il conclut:

—N'importunons pas davantage notre invité. Même si cela me chagrine, les araignées doivent quitter le château le plus tôt possible. Pour le bien de tous!

8

Les adieux

Le fourgon du médecin se met en branle. Après toutes ces années de loyaux services, les villageois assistent, impuissants, au départ de leur héros. On hisse les immenses herses. Le pont-levis s'abaisse. Mais au moment où le cortège s'apprête à quitter la place publique, des cris retentissent :

— Sire, sire ! La sorcière Sokra s'est enfuie !

Le geôlier, tout essoufflé, traverse la foule et se confie au couple royal :

— En allant nourrir Sokra ce matin, je me

suis aperçu que la prisonnière, changée en crapaud, n'était plus dans son urne*. Pourtant, la porte de sa cellule était bien verrouillée et les clés étaient toujours accrochées à ma ceinture.

*Voir *La Colère du roi.*

—Quelqu'un vous a-t-il rendu visite hier soir ? demande la reine.

—Personne, répond le brave homme. Personne sauf… Ivar.

—Ivar ! s'exclame le monarque.

—Oui, il est venu m'administrer une potion à base d'herbes pour contrer l'épidémie.

Ivar reste muet tandis que Cyprien s'approche du gardien :

—Ne vous aurait-il pas plutôt donné un somnifère pour ensuite vous subtiliser vos clés ?

Aussitôt, Ivar donne un coup de guides. Le cheval hennit et se lève sur ses pattes arrière. Cyprien se précipite sur l'attelage. Aidé par une dizaine de villageois, le vieux médecin réussit à

arrêter l'animal.
L'étranger tente de s'enfuir, mais des gardes le rattrapent et le retiennent fermement.

En ouvrant la cape du forcené, les soldats trouvent un crapaud accroché à sa ceinture.

—Sokra! s'exclame la foule.

—Qu'on relève les manches de cette crapule! commande le roi en colère, en désignant Ivar.

L'individu porte un tatouage sur le bras gauche. Dans le fourgon, les araignées s'agitent.

—C'est le sigle de la Confrérie des sorciers! Arrêtez-le! s'écrie Mathieu.

Sur l'ordre du roi et à la grande joie des paysans, on libère les prisonniers. Puis, les soldats de Sa Majesté enferment la sorcière et son complice dans le troisième donjon du château.

9
Les excuses du roi

Le lendemain, le roi et la reine vont offrir leurs excuses au couple de tisserands et aux araignées. Le souverain est visiblement honteux et dépassé par les évènements. Clothilde le console et lui explique :

— Quand le vent d'automne s'est levé, une forte odeur a parfumé le fourgon.

Devant l'air interrogatif du roi, Mathieu précise :

— Vous vous rappelez sire, Sokra empeste le vinaigre ! C'est grâce à cette odeur que les arachnides peuvent la repérer à des mètres à la ronde.

—C'est à ce moment que nous avons soupçonné que Sokra n'était pas très loin, ajoute la Veuve Blanche. Et qu'Ivar n'était peut-être pas un vrai médecin. La Confrérie des sorciers ne peut pas se passer des services de Sokra très longtemps.

—Que voulez-vous dire? questionne le roi en fronçant les sourcils.

—Sokra connaît beaucoup de potions secrètes à base de venin d'araignées. En la délivrant et en capturant les araignées et le tailleur, Ivar faisait d'une pierre deux coups : il ramenait la sorcière à sa confrérie et pouvait obtenir du venin à volonté.

—À volonté? reprend Sa Majesté.

—Jamais les araignées n'auraient accepté de produire du venin pour les sorciers, poursuit Mathieu. Mais en nous ayant avec eux, Marie et moi, Ivar pouvait tout exiger des arachnides. Il suffisait de menacer de nous transformer en crapauds.

—Que je suis naïf ! déplore le souverain.

Clothilde le réconforte :

—Tout était si bien ficelé, sire, il est normal que vous soyez tombé

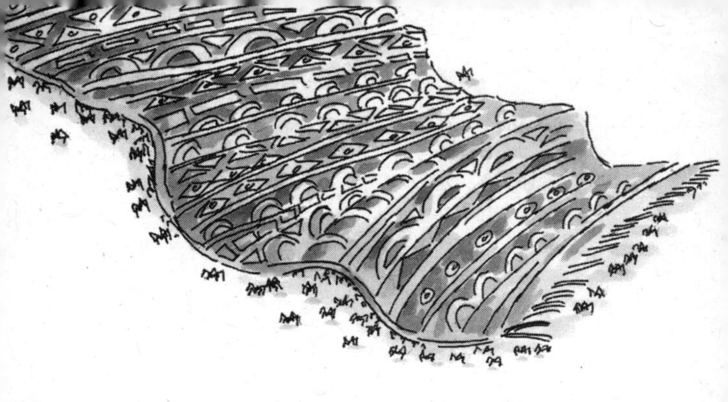

dans le panneau. En envoyant une fausse lettre à Cyprien pour l'éloigner, Ivar s'assurait que personne ne contredirait ses prétendus diagnostics.

Sous le regard médusé du couple royal, une splendide tapisserie transportée par des milliers d'arachnides avance lentement sur le plancher de l'atelier.

—Recevez, sire, ce présent tissé par amour pour vous, proclame la Veuve Blanche.

—Non, mes amies, je ne peux pas accepter

un tel cadeau... J'en suis indigne...

— Vous le méritez, sire. Votre erreur n'efface en rien votre générosité envers nous, reprend la doyenne.

— Tout ceci nous donne une bonne leçon, conclut la reine. Il ne faut pas se fier au premier venu et faire davantage confiance à nos fidèles amis.

Depuis ce temps, le magnifique cadeau, témoin de l'amitié entre les arachnides et les humains, surplombe la salle de bal.

Si tu rencontres une araignée, demande-lui de te décrire cette splendide tapisserie.

Remerciements
à mes premiers lecteurs :
Marie-Josée Lacharité
et Gilles Tibo pour leurs
précieux conseils.

Fiches d'exploitation pédagogique

Vous pouvez vous les procurer sur notre site Internet à la section jeunesse / matériel pédagogique.

www.quebec-amerique.com

L'impression de cet ouvrage sur papier recyclé a permis de sauvegarder l'équivalent de 5 arbres de 15 à 20 cm de diamètre et de 12 m de hauteur.

Achevé d'imprimer au Canada
en septembre 2009
sur les presses de Imprimerie Lebonfon Inc.